CARTES ET CARTOGRAPHIE

Adaptation française :
Marc Viroux

Hemma

© Hemma
Illustrations © Grisewood and Dempsey Ltd 1992

First published by Kingfisher Books in 1992
under the original title of « Maps and Mapping »
Printed in Spain

ISBN : 0-86272-918-1
ISBN : 2-8006-3218-6

Dépôt légal : 2.93/0058/18
N° d'impression : 11769301

La cartographie

Ce livre te montre différentes sortes de cartes et comment elles sont dessinées, ainsi que la façon de les utiliser et de les comprendre.

Tu trouveras facilement, près de chez toi, le matériel nécessaire à leur établissement. Parfois, tu devras acheter du matériel bon marché.

L'aide d'une grande personne te sera utile, par exemple pour utiliser une carte lors d'une excursion à la campagne.

Activités

• Avant de commencer, lis attentivement les instructions et rassemble le matériel dont tu auras besoin.

• Quand tu as terminé, range tout, particulièrement les objets dangereux comme les couteaux et les ciseaux.

• Munis-toi d'un carnet pour noter tout ce que tu fais, ainsi que tes découvertes.

Table des matières

Etablis ta propre carte d'une île au trésor, page 23.

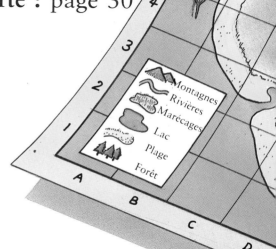

Montagnes
Rivières
Marécages
Lac
Plage
Forêt

Vue du ciel

As-tu déjà utilisé une carte? Elle peut t'aider à trouver le chemin pour aller à un endroit où tu n'as jamais été auparavant.
Les cartes sont des dessins du monde vu d'en haut.
Il est plus facile d'utiliser une carte que des indications sur papier, car elle est une image qui nous montre clairement ce qu'on cherche.
Les cartes anciennes étaient dessinées sur des peaux d'animaux ou sur du tissu. Le mot « carte » est la traduction française du mot anglais « map » qui vient du latin « mappa », signifiant vêtement.

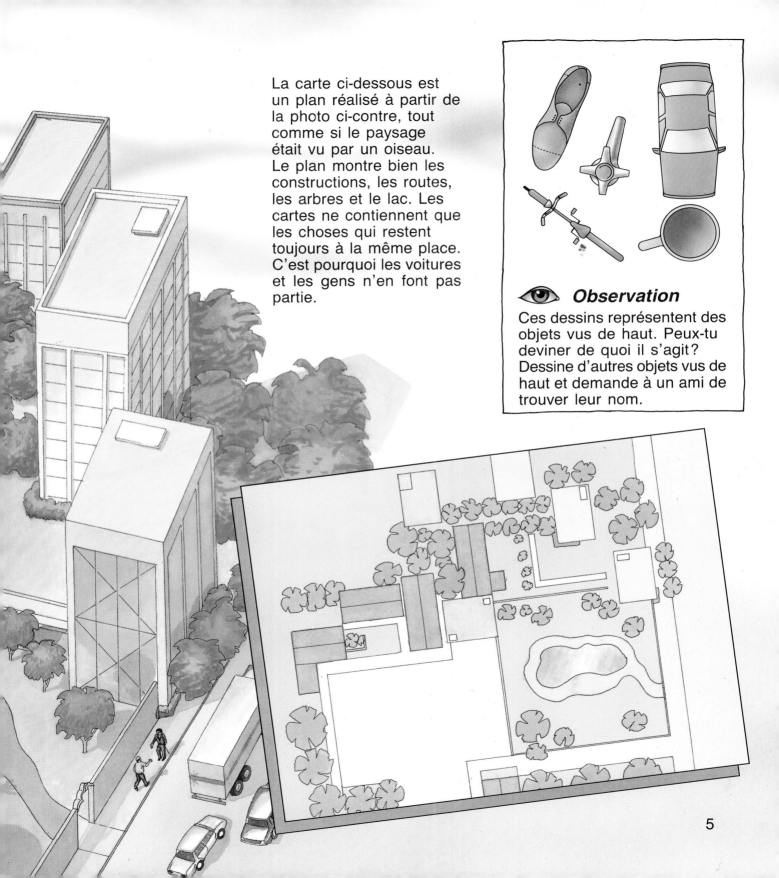

La carte ci-dessous est un plan réalisé à partir de la photo ci-contre, tout comme si le paysage était vu par un oiseau. Le plan montre bien les constructions, les routes, les arbres et le lac. Les cartes ne contiennent que les choses qui restent toujours à la même place. C'est pourquoi les voitures et les gens n'en font pas partie.

👁 *Observation*

Ces dessins représentent des objets vus de haut. Peux-tu deviner de quoi il s'agit? Dessine d'autres objets vus de haut et demande à un ami de trouver leur nom.

Plan de ta chambre

La meilleure façon de comprendre l'utilisation d'une carte, est d'en dessiner une toi-même.

Choisis une petite pièce pour commencer, par exemple ta chambre.

Mais avant cela, tu dois décider des dimensions de ta carte.

Tu n'as pas besoin de représenter tout ce qui se trouve dans ta chambre. Seulement les objets les plus importants comme les meubles, la porte et la fenêtre. La première chose à faire, est de trouver les bonnes dimensions de la pièce ainsi que l'emplacement de chaque objet.

Tu verras souvent de grandes cartes comme celle-là dans les forêts. Une flèche ou un cercle t'indique généralement l'endroit où tu te trouves.

De ma maison à la tienne

Quelqu'un t'a-t-il déjà demandé son chemin? Ferme les yeux et remémore-toi celui que tu prends d'habitude pour aller chez ton ami. Saurais-tu donner les bonnes indications à un étranger? Cela n'est pas aussi simple qu'il y paraît. Tu dois te rappeler tous les points de repère importants du trajet, comme les églises, ou certains magasins, et tu dois aussi pouvoir dire exactement quand tourner à gauche ou à droite.

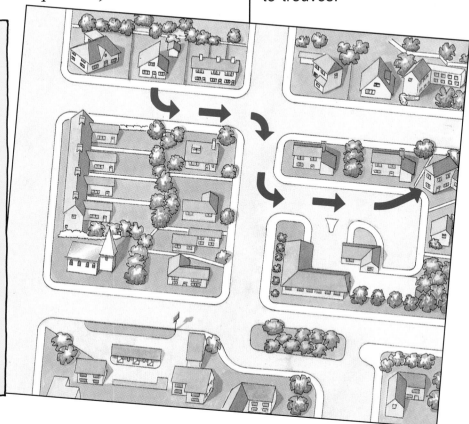

Bricolage

Pour établir un plan précis de ta chambre, tu as besoin d'une grande feuille de papier quadrillée, d'une règle et d'un crayon bien taillé.

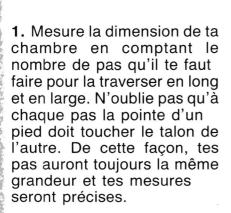

D'autres choses à essayer

Dessine un autre plan où tes meubles seront changés de place. C'est un bon moyen de savoir si le lit pourrait se trouver à un autre endroit et cela sans devoir le déplacer.

commode

table de nuit

fenêtre

chaise

bureau

21 carrés

porte

16 carrés

1. Mesure la dimension de ta chambre en comptant le nombre de pas qu'il te faut faire pour la traverser en long et en large. N'oublie pas qu'à chaque pas la pointe d'un pied doit toucher le talon de l'autre. De cette façon, tes pas auront toujours la même grandeur et tes mesures seront précises.

2. Imagine que chacun de tes pas soit égal à un carré sur la feuille de papier quadrillée, dessine alors les côtés de ta chambre. Si, par exemple, celle-ci mesure 21 pas de long et 16 de large, dessine un rectangle de 21 carrés de longueur sur 16 de largeur.

3. Marque l'emplacement de la porte et de la fenêtre. Mesure ensuite tes meubles, en utilisant toujours tes pieds. Puis, à l'aide de ta règle, dessine-les au bon endroit sur le plan.

Les échelles

Sur une carte, tout est représenté à l'échelle. Ainsi, sur le plan de ta chambre, un pas était égal à un carré de la feuille. Tu aurais pu choisir une réduction à une autre échelle; par exemple, un mètre aurait été égal à un centimètre sur ton plan. L'échelle compare les dimensions de la carte avec les dimensions réelles.

Regarde les 4 cartes ci-dessous. Chacune d'entre elles nous montre Florence, une ville d'Italie, mais chaque carte est établie à une échelle différente.

Ces voitures miniatures sont 25 fois plus petites qu'une vraie. De la même façon, sur une carte, on dessine les lieux beaucoup plus petits qu'ils ne sont dans la réalité.

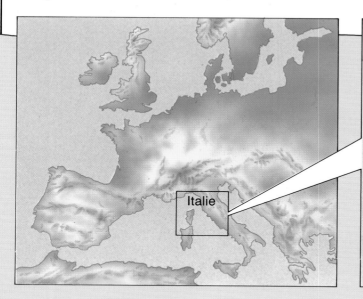

A l'échelle de cette carte 1 cm est égal à 375 km*.
Il y a 37.500.000 cm dans 375 km.
On a donc utilisé l'échelle 1:37.500.000.

0   375 km

Cette carte situe la ville de Florence en Italie.
1 cm sur la carte est égal à 60 km;
l'échelle utilisée est donc 1:6.000.000

0   60 km

* Certains pays mesurent les distances en cm et en kilomètres tandis que d'autres utilisent les «pieds» et les «miles»

Les cartes ferroviaires

Certaines cartes ne sont pas dessinées à l'échelle, mais dessinées de façon à les rendre plus compréhensibles. Par exemple, sur cette carte du réseau ferroviaire de Tokyo, les voies sont représentées par des lignes droites et les gares sont séparées les unes des autres par de grands espaces. En réalité, les lignes s'entrecroisent dans la ville comme un labyrinthe. Il va de soi qu'une carte précise serait trop difficile à déchiffrer.

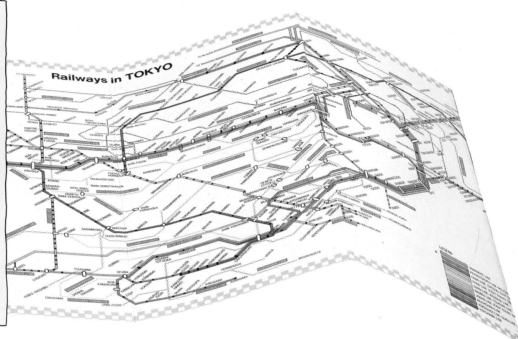

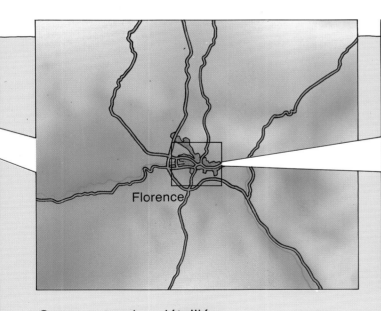

Cette carte plus détaillée représente Florence avec les routes et les rivières qui la traversent. Ici, 1 cm est égal à 10 km, l'échelle utilisée est 1 : 1.000.000.

0   10 km

Voici la carte la plus détaillée de Florence. Elle représente uniquement une partie de la ville. Ici, 1 cm est égal à 1 km. L'échelle est alors 1 : 100.000.

0   1 km

Bricolage

Pour bien comprendre la notion d'échelle, essaye de dessiner une «carte» de ce livre.

1. Dessine le contour du livre sur une grande feuille et mesure.
Le livre mesure 21 cm sur 24 cm.

2. Ce dessin est réalisé aux vraies dimensions. En effet, 1 cm de tour de livre est égal à 1 cm sur ton papier. Et l'échelle correspondante serait celle-ci : 1 : 1

3. Le papier bleu foncé mesure la moitié de la grande feuille. Peux-tu dessiner le contour de ton livre réduit de moitié? L'échelle de ta nouvelle carte sera 1 : 2. Elle peut être retranscrite comme ceci :

livre

demi-grandeur

grandeur réelle

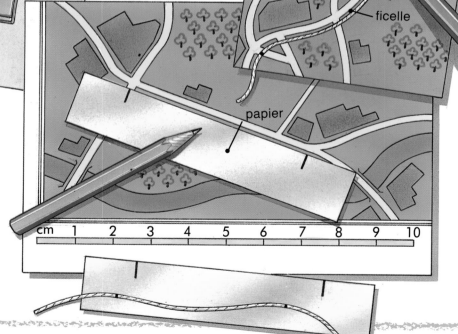

ficelle

papier

Pour déterminer les distances réelles représentées sur une carte. mesure sur celle-ci la distance entre 2 points. Tu peux utiliser une règle ou si la ligne est courbe, un bout de ficelle. Si l'échelle de la carte est de 1 cm pour 1 km et que la distance entre les 2 points est de 5 cm, alors la distance réelle est égale à 5 km.

Symboles et couleurs

Les cartographes utilisent des symboles et des signes. Sur la carte ci-dessous, par exemple, les symboles nous montrent clairement où sont les forêts et les montagnes. La plupart des cartes comportent une liste appelée clé ou légende, qui t'indique ce que signifient les différents symboles. Il n'y a pas de règle quant aux couleurs que l'on doit utiliser sur une carte, mais en général tout le monde utilise les mêmes couleurs pour les mêmes éléments. L'eau est généralement en bleu, et les forêts sont en vert.

Bricolage

arbre
parking
autoroute
téléphone
route
building
eau
chemin de fer
champ
lac

Essaye de dessiner tes propres symboles. Ils doivent être simples et rappeler ce qu'ils sont censés représenter.

Angleterre

MI or A6(M) autoroute

m monument ancien ou site historique

Λ camping

France

autoroute

▪Mon! monument   ⚹ ruine

(◉) camping

Etats-Unis

(80) Autoroute inter-état

monument national mémorial ou site historique

parc national avec camping

Les symboles représentés ici viennent d'une carte réelle.. Ils varient légèrement d'un pays à l'autre.

Pôle Nord

Groënland

Mer de Baffin

Yukon

Mont Mc Kinley

Grand Lac de l'Ours

Baie d'Hudson

Montagnes Rocheuses

Lac Winnipeg

Lac Supérieur

Missouri

Amérique du Nord

Colorado

Mississippi

Montagnes Appalaches

Amérique Centrale

Mer des Caraïbes

Sommets et vallées

Les cartographes utilisent des couleurs et des lignes pour représenter l'altitude d'une région et les variations du relief. Sur une carte, l'altitude et la profondeur sont calculées par rapport au niveau de la mer. Par exemple, quand on dit que l'Everest culmine à 8.848 mètres, cela veut dire que son sommet est situé 8.848 mètres au-dessus du niveau de la mer.

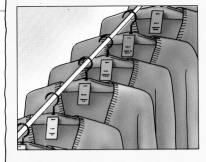

👁 Observation

Les vêtements sont souvent étiquetés avec des couleurs différentes selon les tailles.

Les couleurs indiquant l'altitude

Ces dessins nous montrent comment les collines et les vallées d'un paysage peuvent être représentées de façon simplifiée sur une carte. On divise d'abord une région en sections ou bandes d'altitudes différentes.

On attribue ensuite la même couleur aux sections de même altitude. Les zones les plus basses sont généralement colorées en jaune ou en vert alors que les zones les plus élevées sont représentées par différents bruns.

Sur la carte ci-dessous, il est facile de repérer les zones les plus élevées. La partie la plus haute est colorée en brun foncé. Une autre façon de représenter l'altitude est d'utiliser les courbes de niveau. Tu en sauras plus à leur sujet pages 14-15.

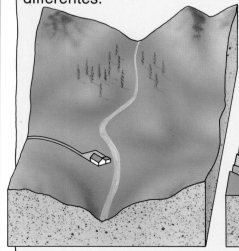

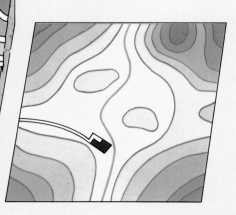

Les cartes qui nous indiquent l'altitude d'un pays et d'autres caractéristiques comme les rivières sont appelées cartes du relief ou cartes physiques. Les randonneurs les utilisent souvent.

Les cartes sous-marines

Il existe également des cartes représentant les collines et les vallées des fonds marins.

Les bateaux utilisent des appareils appelés sonars qui envoient des ondes sonores vers le fond. On mesure alors le temps que mettent ces ondes pour revenir jusqu'au navire. Comme nous savons quelle est la vitesse du son, il est dès lors possible de déterminer la profondeur des eaux. Sur les cartes maritimes, on utilise le bleu foncé pour les bas-fonds, et le bleu clair pour les hauts-fonds.

Les courbes de niveau

Des lignes imaginaires appelées courbes de niveau permettent de représenter sur la carte les différences du relief d'un pays. Une courbe réunit tous les endroits situés à la même hauteur au-dessus du niveau de la mer. Les courbes de niveau nous informent également du relief d'une région. Plus la pente est raide, plus les lignes sont rapprochées. Si la pente est plus faible, les lignes sont plus éloignées les unes des autres. S'il n'y a pas de courbes de niveau, c'est que le terrain est pratiquement plat.

Les randonneurs étudient les courbes de niveau sur une carte pour trouver le chemin le plus facile ou le plus difficile pour parvenir en haut d'une colline

Hautes collines, cartes plates

Ici, tu peux voir comment les 2 collines de droite ont été dessinées en utilisant les courbes de niveau.

De plus, le paysage a été divisé en bandes colorées; la couleur étant en rapport avec l'altitude.
A chaque bande a également été attribuée une hauteur en mètres.

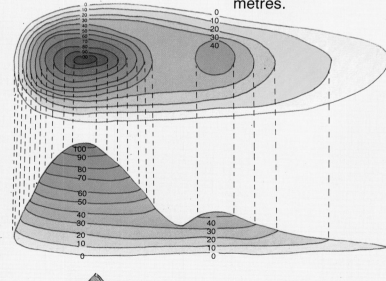

Bricolage

Trace toi-même des courbes de niveau pour bien comprendre leur utilité. Pour cela, tu as besoin de sable ou de terre, d'une planche en bois, d'un crayon et de laine ou de ficelle.

1. Hors de la maison, élève un tas de sable mouillé sur une planche.

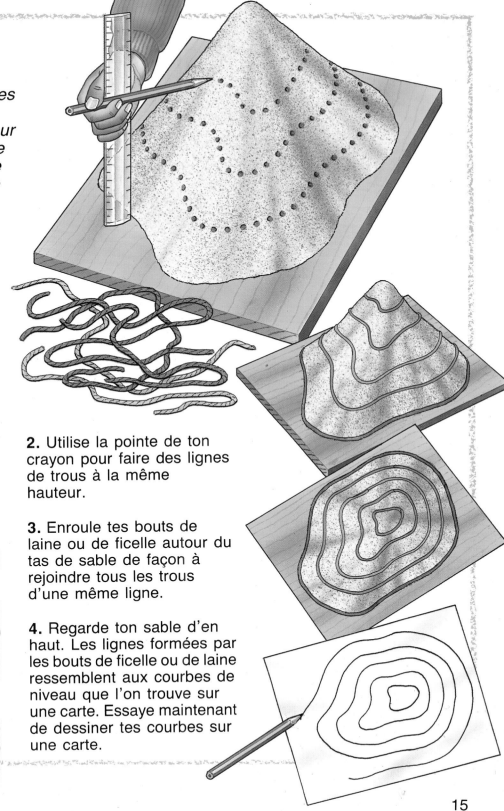

Les courbes de niveau t'indiquent que la petite colline est haute de 40 m et que la grande est haute de 100 mètres. Elles te montrent également qu'un des versants de la colline est plus raide que l'autre.

2. Utilise la pointe de ton crayon pour faire des lignes de trous à la même hauteur.

3. Enroule tes bouts de laine ou de ficelle autour du tas de sable de façon à rejoindre tous les trous d'une même ligne.

4. Regarde ton sable d'en haut. Les lignes formées par les bouts de ficelle ou de laine ressemblent aux courbes de niveau que l'on trouve sur une carte. Essaye maintenant de dessiner tes courbes sur une carte.

15

Localisation d'un endroit

As-tu déjà essayé de trouver une ville ou une route sur une carte? La meilleure façon est encore d'utiliser l'index. En regard du nom que tu recherches, tu trouveras probablement certains chiffres ou lettres. Ils font référence à un réseau de lignes divisant la carte en carrés. Cela s'appelle le quadrillage de la carte et les chiffres ou les lettres se rapportent à ce quadrillage. Les quadrillages varient en fonction des pays mais en général, chacun indique ses propres instructions d'utilisation.

Les archéologues attribuent à chacune de leurs découvertes une référence sur le plan ou la carte. Cela les aide à se rappeler où chaque objet a été découvert.

Retrouver un bâtiment

Les repères en marge d'une grille se rapportent à un carré de la carte. Ce sont un chiffre et une lettre qui déterminent un carré. On attribue en premier les références des lignes verticales puis celles des lignes horizontales. Sur cette carte, le bâtiment rouge est en C5 alors que le bleu est en I4.

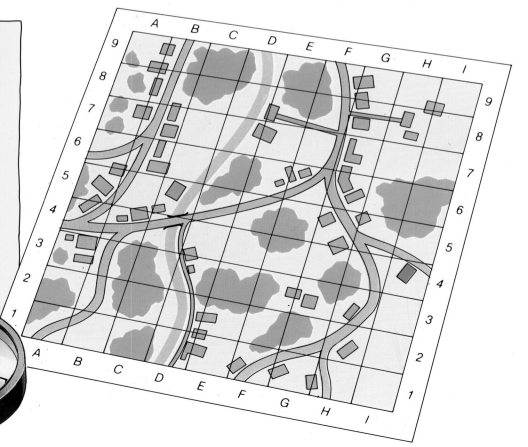

Bricolage

Saurais-tu donner à tes amis les références sur le quadrillage de l'endroit exact où tu veux les rencontrer?

1. Utilise la carte ci-dessous ou dessine ta propre carte sur du papier à dessin à grands carreaux.

2. Attribue une lettre ou un chiffre à chaque carré du haut et du bas, et aussi à ceux des côtés.
Tu peux utiliser des chiffres ou des lettres, ou bien les deux comme sur la carte ci-dessous.

3. Détermine un lieu de rendez-vous.
Par exemple, le café sur la carte est en C8.

Pour donner des instructions

Le quadrillage est une manière simple de donner des directives sans avoir à retranscrire une longue liste d'indications.

Retrouve-moi en G3 à midi...

Les cartes du monde utilisent également un quadrillage avec des lignes de latitude ou de longitude (voir p. 26).

17

Trouver son chemin

Les cartes ne t'aident pas seulement à retrouver un endroit ou à calculer la distance entre deux points. Elles te donnent également la direction à suivre pour rejoindre un endroit. En d'autres termes, elles nous aident à trouver notre chemin.

La plupart des cartes comportent une flèche indiquant le nord, comme si celui-ci était au-devant de nous.

Pour trouver où est réellement le nord, on utilise une boussole. Avec une boussole et une carte, il est possible de trouver son chemin par tous les temps.

Les points cardinaux

Les 4 points principaux d'une boussole sont le nord, le sud, l'est et l'ouest. L'aiguille de la boussole est aimantée; elle indique toujours le nord.

Pour savoir quelle direction prendre, place une boussole sur la carte et tourne la carte de façon à faire coïncider la flèche indiquant le nord sur la carte avec l'aiguille indiquant le nord sur la boussole.

Bricolage

Fabrique ta propre boussole avec une aiguille aimantée, une rondelle de liège et une assiette à soupe remplie d'eau.

1. Demande à un adulte de t'aider à aimanter ton aiguille comme montré ci-dessous. Tu dois frotter l'aiguille contre l'aimant environ cinquante fois.

frotte l'aiguille contre l'aimant en allant toujours dans le même sens.

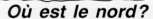
aiguille

bouchon de liège

2. Pose délicatement l'aiguille sur la rondelle de bouchon et laisse flotter le tout au milieu de l'assiette remplie d'eau.

3. L'aiguille va indiquer le nord. Vérifie avec une vraie boussole et trace un repère sur le bord de l'assiette pour le nord.

Où est le nord?

La flèche indiquant le «vrai nord» sur une carte est la prolongation d'une ligne droite et précise allant jusqu'au pôle Nord. L'aiguille de la boussole indique, elle, le «nord magnétique» parce qu'elle est poussée par des forces magnétiques venant du centre de la terre.

Le nord magnétique est distant d'environ 1.600 km du pôle Nord.

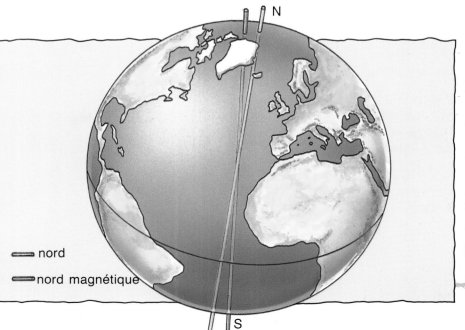

nord

nord magnétique

Mesure des angles

Avant d'établir une carte, il est important de connaître la position exacte de chaque élément qui doit en faire partie. Pour cela, le pays est divisé en un grand nombre de points, et on mesure les distances et les angles entre ces points. Cela s'appelle faire un relevé. Les personnes qui rassemblent ces informations s'appellent des géomètres. Pour trouver l'angle entre deux points, les géomètres s'orientent, prennent des repères. Essaye de t'orienter en utilisant le tableau ci-dessous.

Il y a quelques centaines d'années, les marins utilisaient des sextants (ceux-ci mesurent l'angle entre le soleil et l'horizon) pour déterminer leur position en mer.

Bricolage

Etablis un tableau d'orientation pour mesurer un angle.

1. Demande à un adulte de t'aider à faire une copie du cercle ci-dessous, et trace toutes les lignes à la règle.

2. Inscris les chiffres tout autour, sur le bord de la feuille, et épingle la feuille sur un grand papier quadrillé.

3. Place ton gabarit sur le sol. Il te servira de point de référence.

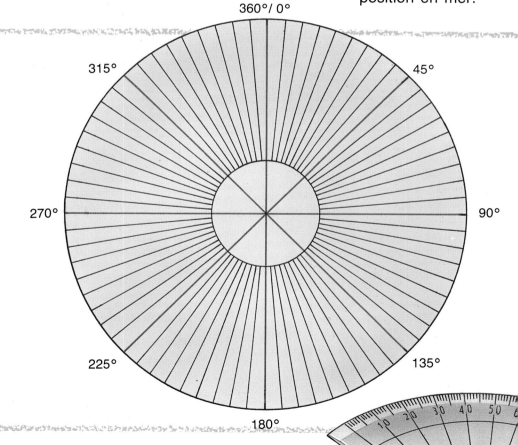

Les géomètres au travail

De nos jours, les géomètres utilisent des équipements électroniques pour mesurer des distances en déterminant le temps nécessaire aux ondes sonores ou lumineuses pour voyager d'un point à un autre. Comme nous connaissons la vitesse du son et de la lumière, il est alors possible de déterminer la distance entre ces 2 points.

4. Aide-toi d'une règle pour aligner avec ton gabarit les 2 objets que tu veux mesurer. L'angle obtenu entre les 2 lignes est le «relevé».

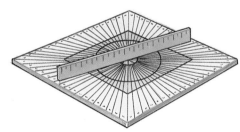

5. Interprète l'angle obtenu (il faut lire dans le sens des aiguilles d'une montre). Sur ce tableau d'orientation, l'angle entre 2 lignes est égal à 5 degrés.

21

Etablissement d'une carte

Les géomètres ne se contentent pas de prendre des mesures précises ; ils inscrivent aussi, sur une carte, d'autres informations qui ont également leur importance : types de paysages, climats, reliefs... Ils peuvent également aider à situer les bâtiments publics comme les églises ou les écoles.

Les mesures établies par les géomètres sont confirmées par des photos prises par satellites. On les appelle photographies aériennes. Elles sont surtout très utiles quand le pays est trop montagneux ou trop marécageux pour que les géomètres puissent faire leurs relevés.

Les cartes vues d'avion

A chaque survol, l'avion prend deux photos différentes de chaque section de paysage.

A gauche : des photos prises par satellite, comme celle-ci de la baie de San Francisco aux USA, sont utilisées pour faire des cartes météorologiques.

En dessous : La plupart des cartographes se servent maintenant de l'ordinateur.

Bricolage

Dessine ta propre carte d'une île au trésor.

Choisis l'échelle à laquelle tu vas dessiner ta carte et indique le nord par une flèche.
Détermine de quelle façon tu vas représenter les variations d'altitude de l'île, soit par différentes couleurs, soit par des courbes de niveau ou bien au moyen de symboles. Si tu choisis la dernière solution, tu devras faire une légende pour les expliquer.

A la recherche du trésor

Quand tu as dessiné ta carte, quadrille-la et numérote les lignes en utilisant des chiffres et des lettres.
Maintenant, décide de l'endroit où tu vas cacher le trésor.
Donne quelques repères aux chasseurs de trésor.

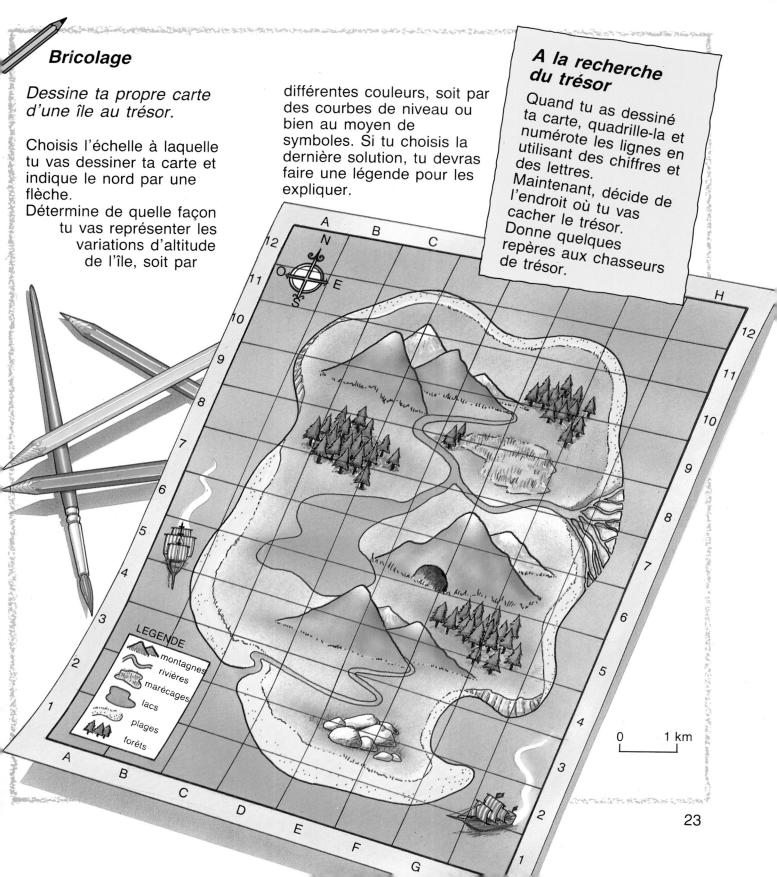

LEGENDE
montagnes
rivières
marécages
lacs
plages
forêts

0   1 km

Les cartes du monde

Tu as probablement vu beaucoup de cartes «plates» du monde où les pays et les mers sont tous représentés sur une seule page. Mais, comme la terre est ronde, la façon la plus précise de la représenter est d'utiliser un globe, que l'on nomme mappemonde. Les globes nous montrent la vraie configuration des pays et des mers. Ils sont légèrement inclinés car l'axe de la terre penche un peu sur le côté. Mais les globes sont encombrants. C'est pour cette raison que l'on se sert plus volontiers d'une carte, nommée planisphère.

L'espace est le seul endroit d'où nous pouvons voir la taille et la forme réelle des continents et des océans et ce, grâce aux photos satellites.

A faire soi-même

Il n'est pas facile de représenter à plat la surface de la terre. Certains éléments doivent être élargis alors que d'autres doivent être rétrécis. Essaye de dresser toi-même une carte dessinée à partir d'une mappemonde. Tu auras besoin pour cela de papier calque, d'un crayon et de feuilles de papier.

demande à un ami de tenir la feuille pendant que tu reproduis les contours des continents.

Les cartes anciennes

Il y a des centaines d'années, les hommes croyaient que la terre était plate. Ils pensaient qu'ils tomberaient dans le vide s'ils naviguaient trop loin.

Cette carte date de 500 ans environ.

Même si elle n'est pas précise, il est facile d'identifier les configurations des différents pays.

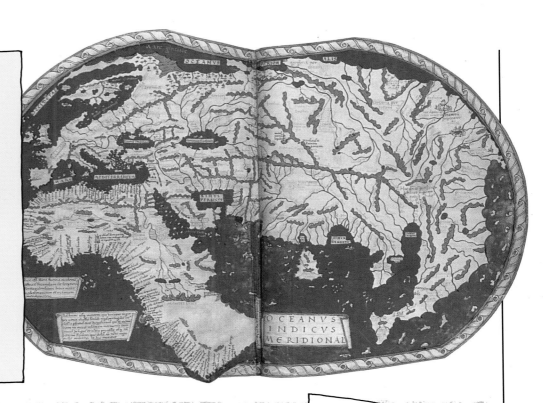

rassemble tous les morceaux de papier calque au moyen de ruban adhésif de façon à former une carte.

Observation

As-tu jamais essayé d'envelopper un objet rond? Essaye de recouvrir une balle avec une feuille de papier sans laisser d'ouverture. Tu comprendras combien il est difficile de représenter la terre sur une carte plane.

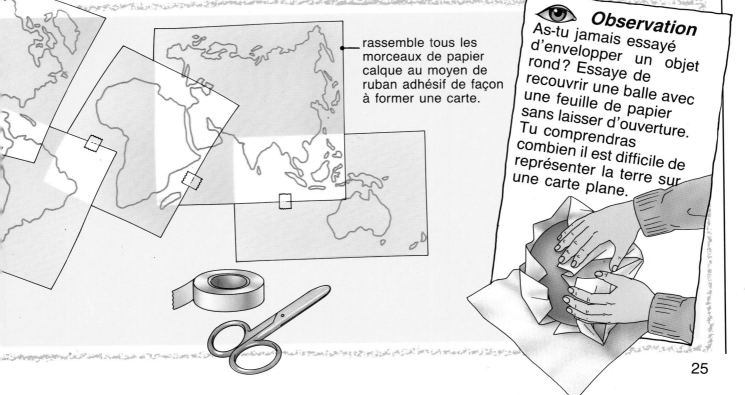

Latitude et longitude

Sur les globes terrestres ou sur les cartes du monde, il est possible de situer un endroit grâce aux lignes imaginaires de la latitude et de la longitude. Les lignes de longitude, ou méridiens, parcourent le globe de haut en bas. On les mesure en degrés, à l'est ou à l'ouest d'une ligne imaginaire traversant Greenwich en Angleterre, et dont la longitude vaut 0°.

Les lignes de latitude, ou parallèles, sont mesurées en degrés; au nord ou au sud d'une ligne imaginaire coupant la terre en son milieu – l'équateur.

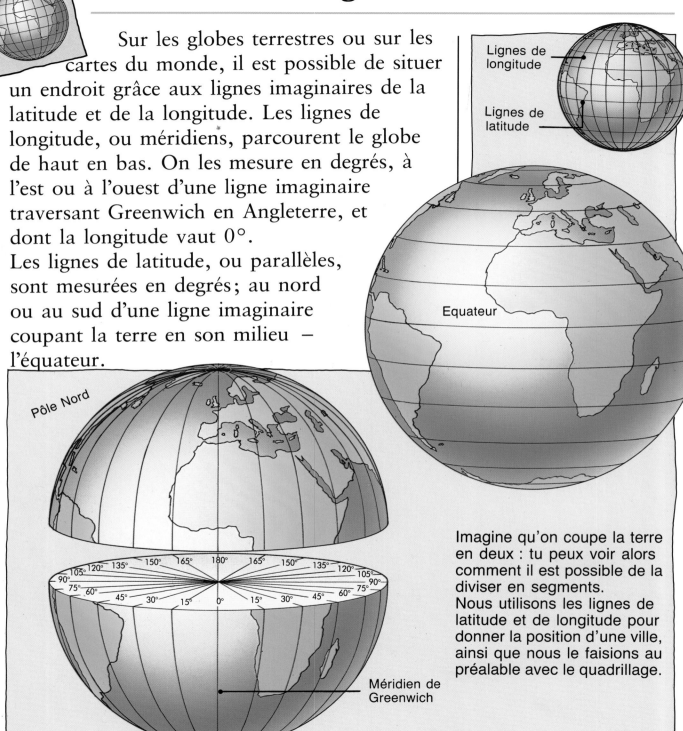

Lignes de longitude

Lignes de latitude

Equateur

Pôle Nord

135° 150° 165° 180° 165° 150° 135°
120° 120°
105° 105°
90° 90°
75° 75°
60° 60°
45° 45°
30° 15° 0° 15° 30°

Méridien de Greenwich

Imagine qu'on coupe la terre en deux : tu peux voir alors comment il est possible de la diviser en segments.
Nous utilisons les lignes de latitude et de longitude pour donner la position d'une ville, ainsi que nous le faisions au préalable avec le quadrillage.

Pôle Sud

Le grand méridien

La ligne de longitude qui occupe la position O° peut être imaginée comme une ligne passant sur le sol de Greenwich, en Angleterre. On l'appelle le grand méridien. Les villes situées sur cette ligne imaginaire ont la même heure, appelée heure de Greenwich ou GMT (Greenwich Mean Time). Si on s'éloigne du méridien de Greenwich de 15° vers l'est ou l'ouest l'heure change. A l'est, il est plus tôt, à l'ouest, il est plus tard.

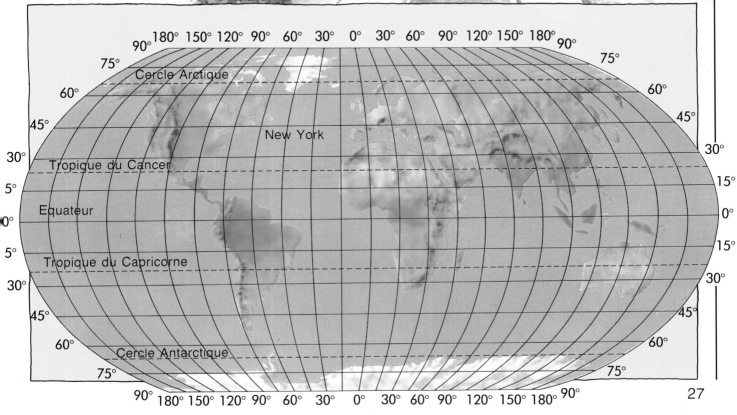

90° 180° 150° 120° 90° 60° 30° 0° 30° 60° 90° 120° 150° 180° 90°

75°   Cercle Arctique   75°

60°   60°

45°   45°

New York

30°   Tropique du Cancer   30°

5°   15°

Equateur

0°   0°

5°   15°

Tropique du Capricorne

30°   30°

45°   45°

60°   Cercle Antarctique   60°

75°   75°

90° 180° 150° 120° 90° 60° 30° 0° 30° 60° 90° 120° 150° 180° 90°

Les projections cartographiques

Une projection cartographique est la façon dont on représente les courbes de la terre sur une carte.

Il y a environ 200 types de projections mais toutes modifient ou déforment la configuration et la taille des continents ainsi que la distance qui les sépare. Cette déformation est plus importante sur les cartes du monde entier. On choisit une projection particulière en fonction de ce que l'on veut montrer. Les principales sortes de projections sont représentées sur la page suivante.

👁 *Observation*

Regarde dans différents atlas pour comparer la taille et la configuration des pays. Les cartes ci-dessus représentent toutes le Groënland. Sur certaines d'entre elles, il a l'air plus grand que l'Amérique du Sud alors que celle-ci est 8 fois supérieure en taille.

Bricolage

Essaye de peler une orange et de poser la pelure à plat.
Tu ne peux y réussir sans la couper.

Pour dessiner «à plat» une carte du monde, on la divise en parties, un peu comme les tranches d'une orange.

28

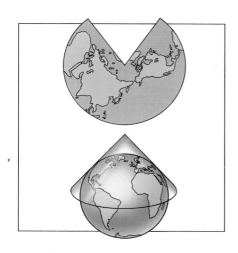

Projection conique

La carte est dessinée comme si l'on avait posé un cône de papier sur le globe de façon à ce que son bord suive une ligne de latitude.

Projection cylindrique

Une projection cylindrique est réalisée comme si l'on avait enveloppé le globe dans un tube ou cylindre de papier.

Projection azimutale

Pour comprendre ce qu'est une projection azimutale, imagine que l'on pose une feuille de papier sur le globe de façon à ce qu'elle le touche en un point précis.

Les tranches du globe sont ensuite placées côte à côte pour former une carte comme celle représentée à droite. Cette carte est une projection cylindrique. Les zones grises ont été élargies.

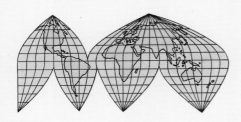

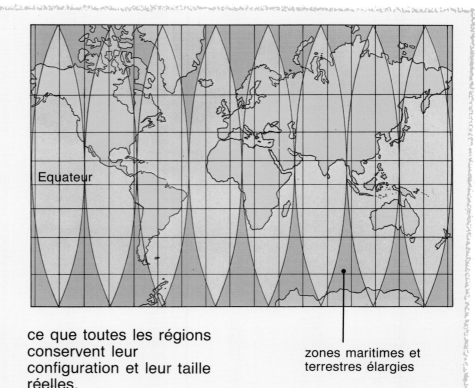

Equateur

zones maritimes et terrestres élargies

La carte ci-dessus est une projection sinusoïdale. Ici, le globe a été découpé de façon à

ce que toutes les régions conservent leur configuration et leur taille réelles.

29

Utilisation d'une carte

Les cartes peuvent te donner de nombreux renseignements : le nombre de maisons dans une ville ou le nombre de villes dans un pays, les lieux de batailles, le nombre d'habitants d'une région ou encore le temps qu'il fait. Comme les limites des régions évoluent sans cesse, on dessine régulièrement de nouvelles cartes en les remettant à l'ordre du jour. Vois si tu peux trouver de vieilles cartes de ta ville à la bibliothèque municipale. Maintenant que tu en sais plus au sujet des cartes, tu pourras déchiffrer les informations qu'elles te donnent sur le monde.

Cartes touristiques

Les cartes touristiques sont généralement accompagnées d'une multitude de photos des lieux à visiter.

Les cartes de la lune

La plupart des cartes que nous utilisons représentent les pays et les mers de notre terre. Cette photo nous montre une carte du pôle Nord lunaire. On y trouve les noms de tous les cratères, fosses et vallées qui parsèment la surface de la lune. Une carte comme celle-ci peut être utilisée pour faire un relevé du lieu d'alunissage d'une fusée. Il existe également des cartes montrant la position des étoiles dans le ciel; ce sont des cartes d'astronomie.

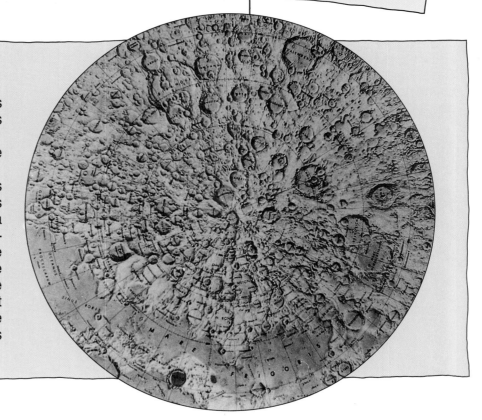

Cartes géologiques

Certaines cartes nous
montrent la composition
du sous-sol.
Elles sont utiles pour les
travaux de construction
ou pour la recherche de
pétrole ou de gaz.

Le code du randonneur

- Toujours être accompagné d'un adulte.
- Dire où l'on va et quand on compte revenir.
- Emmener une carte détaillée et une boussole. Un sifflet peut être utile s'il faut appeler à l'aide.
- Dans la mesure du possible toujours rester sur les sentiers indiqués par la carte.
- Emmener à boire et à manger, des vêtements chauds et imperméables.
- Prendre garde à ne pas laisser de déchets, respecter les fleurs sauvages, ne pas déranger les animaux.

Avant de partir en
randonnée dans la
campagne, étudie
attentivement la carte et
trace ton itinéraire. Il vaut
mieux ne pas s'aventurer
trop loin.

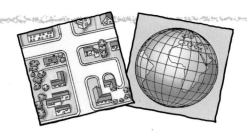

Index

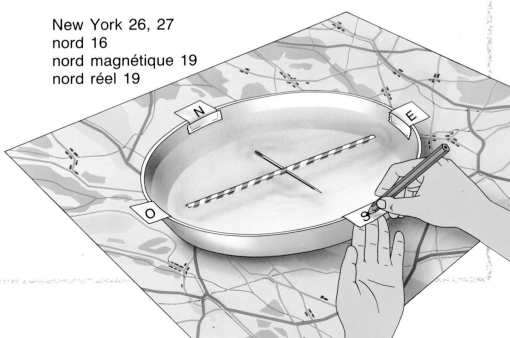